D1275876

Es la hora del baño, pero Emma no se quiere bañar. Cree que un monstruo grande saldrá por el desagüe o por la ducha.

—Mamá, no me quiero bañar. No quiero que me coma ningún monstruo.

—¿Un monstruo? —pregunta su mamá.

—Sí, puede salir por donde está el tapón o por esos agujeritos de la ducha. Es un monstruo muy grande, pero puede hacerse muy finito para entrar aquí.

—¡Ah, sí! —dice su mamá, mientras examina el cuarto de baño—. Una vez apareció un monstruo en mi bañera.

—¿De verdad? —pregunta Emma, nerviosa—. ¿Lo viste de verdad?

—Bueno, en realidad no era un monstruo… Era una ballena. Al principio, cuando vi uno de sus ojos, me asusté mucho. Pero cuando apareció su cara, sus aletas y su cola, ya no me dio miedo.

Emma escucha a su mamá muy interesada.

—Era muy difícil bañarse con ella dentro, así que le dije que tenía que irse. La ballena tampoco estaba a gusto en la bañera… Casi no se podía mover. Me dijo que sentía mucho haberme estropeado el baño. Pero es que venía huyendo de un submarinista que la perseguía.

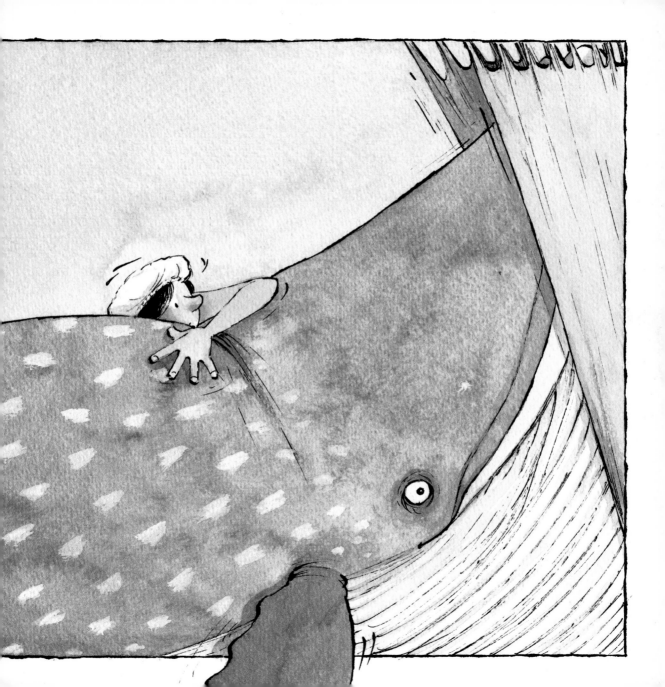

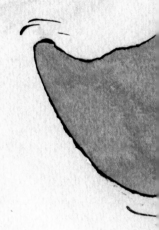

—¡¿La perseguía un submarinista?! —dice Emma, cada vez más sorprendida por la historia que su madre le cuenta.

—Ya lo creo. Ella temblaba de miedo, así que la ayudé a escapar. Nos costó mucho a las dos. No es nada fácil meter una ballena por un agujero tan pequeño. Tuvimos que empujar muchísimo, hasta que consiguió salir.

—¿Se hizo daño? —pregunta Emma.

—¿Cuándo? —pregunta su mamá.

—Al salir de la bañera —aclara Emma.

—¡Ah, sí! Un poco, pero sólo un poco. Se raspó un pelín la aleta. Lo peor fue lo del submarinista…

—¿El que la perseguía?

—Ése. Cuando se fue la ballena, yo seguí duchándome. Entonces apareció él por uno de los agujeros de la ducha.

Emma mira detenidamente la ducha y se pregunta por cuál de los pequeños agujeritos pudo salir.

—¿Te dio miedo?

—Sí, claro, me asusté mucho. Me puse rápidamente el albornoz y le pregunté quién era. Me dijo que era submarinista y que estaba buscando una ballena.

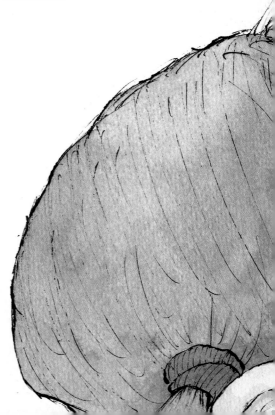

—¿Y qué le dijiste tú?

—Le conté que ya se había ido. Y le regañé, porque no está bien eso de perseguir ballenas inocentes. Pero…, ¿a que no sabes lo que me dijo?

—No —contesta Emma muy interesada.

—Pues me dijo que era un submarinista científico y que no iba a hacer daño a la ballena. Sólo quería ponerle una inyección, porque estaba un poco enferma.

—¿Y qué pasó después? —pregunta Emma, asombrada de las cosas interesantes que pueden ocurrir dentro de una bañera.

—Pues a la ballena no le había dado tiempo a escaparse por el desagüe y escuchó las palabras del submarinista. Así que volvió a meterse otra vez por el agujero del baño para que le pusiera la inyección.

Emma se imagina a la ballena y al submarinista dándose un gran abrazo. Los submarinistas científicos son muy buenos. Ella, cuando sea mayor, va a dedicarse a salvar ballenas.

—Se hicieron amigos, ¿verdad?

—Imagino que sí, pero no lo sé. Como la ballena pesaba tanto, el edificio empezó a temblar. ¡Tuvieron que irse rápidamente los dos para que no se cayera!

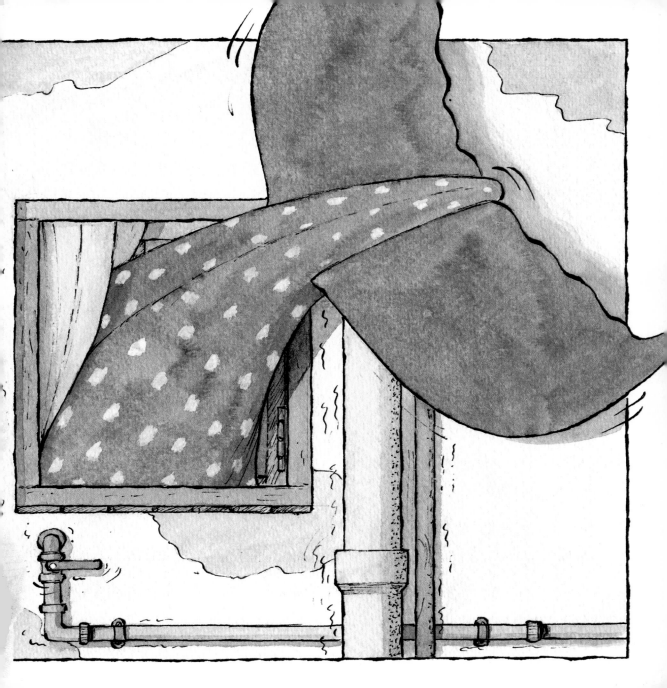

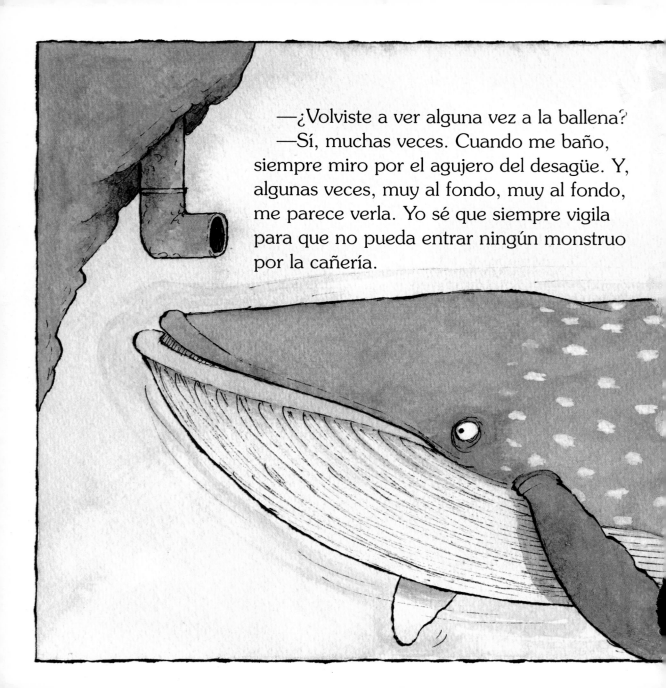

—¿Volviste a ver alguna vez a la ballena?
—Sí, muchas veces. Cuando me baño, siempre miro por el agujero del desagüe. Y, algunas veces, muy al fondo, muy al fondo, me parece verla. Yo sé que siempre vigila para que no pueda entrar ningún monstruo por la cañería.

—Entonces, por ese agujero no puede entrar ningún monstruo...

—No, claro que no. Es imposible.

—¿Y por la ducha?

—Tampoco. Ahí está mi amigo el submarinista. Espera por si la ballena se pone enferma y tiene que ponerle alguna inyección.

Emma mira a su mamá muy intrigada. Se mete con cuidado dentro de la bañera y coloca su ojo en el agujero del desagüe para ver a la ballena. Mira muy fijamente, pero, nada, no ve nada.

—No veo nada —dice a su mamá, y añade—: No me creo la historia que me has contado, ¿sabes? Yo soy grande y sé que las ballenas no caben por este agujero.

—¿No? —contesta su mamá, sonriendo—. ¿Estás segura?

Emma no está muy segura… Pero empieza a pensar que, si una ballena no cabe por ahí, tampoco puede caber un monstruo.